ANIFEILIAID ANWES

Cath Fach

Honor Head

Ffotograffau gan Jane Burton

Addasiad
Elin Meek

Cyhoeddwyd gyntaf ym Mhrydain yn 2000 gan
Belitha Press, argraffnod Chrysalis Books plc,
The Chrysalis Building, Bramley Road,
Llundain W10 6SP

Teitl gwreiddiol: *Kitten (My Pet)*
Golygydd: Claire Edwards
Dylunydd: Rosamund Saunders
Arlunydd: Pauline Bayne
Ymgynghorydd: Frazer Swift

ISBN 1 84323 263 4

Cyhoeddwyd gan Wasg Gomer, Llandysul,
Ceredigion SA44 4QL, gyda chefnogaeth
Awdurdod Cymwysterau, Cwricwlwm
ac Asesu Cymru

Dymuna'r cyhoeddwyr gydnabod
cymorth Adran Olygyddol Cyngor
Llyfrau Cymru, Cathryn Clement
a Heulwen Harris

Argraffwyd yn China

Rhoddion caredig oddi wrth gwmni *Pets at Home*
yw'r nwyddau sydd i'w gweld yn y llyfr hwn.

Cynnwys

Fy nghath fach

Mae'n hwyl bod yn berchen ar dy gath dy hun.

Mae cathod bach yn edrych yn annwyl iawn ac mae'n hwyl chwarae â nhw, ond rhaid gofalu amdanyn nhw'n ofalus.

Rhaid bwydo cath bob dydd a'i brwsio'n gyson. Hefyd bydd rhaid ei hyfforddi hi. Yn fwy na dim, cofia y bydd dy gath fach yn tyfu'n fawr ac y gall hi fod gyda ti am amser hir.

Dylai plant ifanc sydd ag anifeiliaid anwes gael eu goruchwylio bob amser gan oedolyn. Am ragor o nodiadau, gweler tudalen 32.

Mae sawl gwahanol fath o gathod.

Mae cathod sydd â ffwr hir yn edrych yn bert a blewog, ond mae angen eu cribo a'u brwsio nhw bob dydd.

Does dim rhaid brwsio cathod â blew byr mor aml.

Mae gwahanol liwiau a marciau gan gathod.

Cath drilliw yw hon.

Cath gringoch yw hon.

Cath frech yw hon.

Mae llawer o wahanol fathau o gathod. Mae blew byr, llyfn a wyneb hir main gan gathod Siám. Mae cathod doli glwt yn fwy ac yn flewog iawn.

Mae angen lle diogel i gath feichiog eni ei chathod bach.

Bydd cath feichiog yn chwilio am le tawel a diogel i gael ei chathod bach. Bydd hen flanced neu bapur newydd wedi ei rwygo'n gwneud iddi deimlo'n fwy cyfforddus.

Pan fydd cath yn feichiog, bydd ei siâp yn newid. Bydd ei stumog yn tyfu'n fawr ac yn grwn.

Pan fydd hi'n feichiog iawn, ni fydd cath yn symud o gwmpas ryw lawer. Mae'n bosib rhoi anwes iddi, ond paid â'i chodi.

Pan fydd y fam yn barod i gael ei chathod bach, bydd hi'n stopio bwyta. Cyn hir bydd hi'n cael ei chath gyntaf. Gall gymryd amser hir i'r cathod bach i gyd gael eu geni.

Pan fydd cathod bach yn cael eu geni, dydyn nhw ddim yn gallu gweld, clywed na cherddded.

Mae cath fach sydd newydd ei geni'n anniben iawn! Ond bydd ei mam yn mynd ati'n syth i'w llyfu'n lân.

Mae cathod bach yn dod o hyd i laeth eu mam drwy arogli. Sugno yw'r gair am yfed llaeth y fam. Bydd cathod bach yn dechrau canu grwndi am y tro cyntaf wrth sugno.

Ar ôl gorffen bwydo, bydd y cathod bach yn cysgu mewn pentwr. Bydd y fam yn mynd i fwyta a gorffwyso. Mae'r cathod bach yn edrych yn annwyl, ond maen nhw'n rhy ifanc iti gyffwrdd â nhw.

Os bydd cath fach yn teimlo ar goll bydd yn mewian yn uchel am ei mam.

Mae cathod bach yn tyfu'n gyflym iawn.

Mae'r fam yn symud ei chathod bach drwy eu codi nhw yn ei cheg. Ni ddylai pobl byth godi cathod gerfydd eu gyddfau.

Pan fydd cath fach yn wythnos oed dydy hi ddim yn gallu cerdded yn iawn ac mae hi'n cropian ar hyd y llawr.

Mae'r fam yn cadw ei chathod bach yn lân drwy eu llyfu. Mae hyn hefyd yn dysgu i'r cathod bach sut i'w llyfu eu hunain yn lân.

Pan fydd hi'n dair wythnos oed, mae'r gath yn dechrau cerdded. Mae hi'n simsan iawn ac yn cwympo o hyd.

Pan fydd y gath fach yn wyth wythnos oed, mae hi'n ddigon hen i adael ei mam.

Pan fydd y gath yn chwech wythnos oed mae hi'n gallu rhedeg a neidio a dechrau chwilota o gwmpas ei chartref.

Mae cathod bach yn chwareus iawn.

Wrth i'r cathod bach dyfu, maen nhw'n dechrau chwarae â'i gilydd. Maen nhw'n ymladd, ond dydyn nhw ddim yn gwneud niwed i'w gilydd.

Mae'r fam yn dysgu'r cathod bach sut i hela a neidio ar bethau drwy chwarae â llygoden degan.

Os yw cath fach yn iach ac yn hapus, bydd hi bob amser yn dod o hyd i rywbeth i chwarae ag e.

Bydd cathod bach yn mwynhau chwarae gyda ti os wyt ti'n dyner. Chwaraea gyda thegan arbennig i gathod neu ddarn o linyn neu belen o bapur.

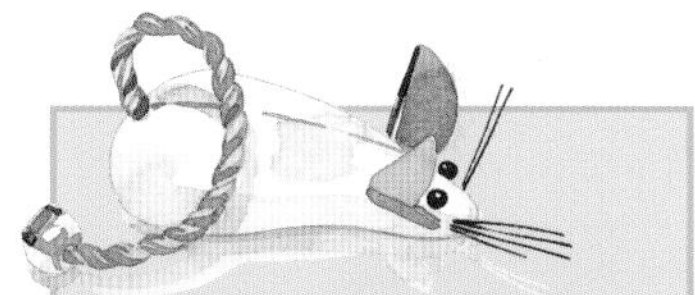

Gwna'n siŵr bod teganau dy gath fach yn rhai diogel, heb unrhyw ddarnau miniog neu fetel arnynt.

Rhaid iti ofalu am dy gath fach.

Rhaid hyfforddi dy gath fach i ddefnyddio bocs baw. Rho'r bocs baw mewn lle tawel a phreifat.

Mae angen prydau bach o fwyd bedair gwaith y dydd ar gathod bach. Cadwa'r powlenni'n lân bob amser a'u rinsio ar ôl eu golchi.

Pan fyddan nhw'n wyth wythnos oed, bydd cathod yn gallu bwyta bwyd solet. Gad lonydd i'r gath pan fydd hi'n bwyta. Rho ddŵr glân, ffres iddi i'w yfed bob amser.

Gwna'n siŵr fod gan dy gath le cynnes i gysgu ynddo. Rho flanced neu glustog feddal mewn basged neu focs.

Bydd yn dyner gyda'r gath fach.

Paid â gwneud i'r gath fach neidio. Dal dy law iddi ei ffroeni ac yna ei chodi hi'n dyner. Os nad yw hi eisiau cael ei chodi, gad lonydd iddi.

Pan fyddi di'n rhoi mwythau i'r gath, tynna dy law yn dyner o'i phen ar hyd ei chefn tuag at ei chynffon bob amser. Bydd dy gath fach hefyd yn hoffi iti rwbio ei phen a'i chlustiau a goglais ei gên.

Pan fyddi di'n ei chodi, cydia ynddi o dan ei phen-ôl gydag un llaw a dal ei chorff yn dyner gyda'r llaw arall. Paid â'i gwasgu o gwmpas ei chanol gyda'i choesau'n hongian.

Paid byth â chydio'n wyllt ynddi na thynnu'i chynffon. Fe allet wneud niwed iddi.

Mae cathod yn hoffi cadw'n lân.

Mae cath fach yn treulio llawer o amser yn ymolchi. Mae'n defnyddio'i phawennau i olchi ei hwyneb. Mae'n llyfu ei ffwr i'w gadw'n llyfn.

Criba a brwsia dy gath fach o'i phen tuag at ei chynffon. Criba hi'n dyner, yna ei brwsio. Os oes unrhyw glymau sy'n anodd eu datod, cer â hi at y milfeddyg. Paid byth â thynnu wrth ei ffwr.

Mae cathod bach yn hoffi cael eu brwsio. Defnyddia frwsh a chrib arbennig.

Pan fydd cathod bach â blew hir yn llyfu eu hunain, maen nhw'n llyncu blew rhydd. Gallai'r blew ffurfio pelen o ffwr yn stumog y gath fach a'i gwneud yn sâl. Os yw hyn yn digwydd, cer â hi at y milfeddyg.

Os wyt ti'n brwsio dy gath yn ofalus, ni ddylai hi gael unrhyw belenni o ffwr.

Os yw dy gath fach yn crafu, efallai fod chwain ganddi. Gofynna i'r milfeddyg am help.

Mae cathod bach yn mwynhau chwilota a gwneud drygioni.

Bydd cathod bach yn chwilota o gwmpas pob twll a chornel o'u cartref. Maen nhw'n dringo ar ddodrefn ac yn cropian o dan fordydd. Rho focs i'r gath fach chwilota ynddo.

Gofala nad wyt ti'n gadael unrhyw beth peryglus o gwmpas y lle. Gwna'n siŵr bod popeth miniog yn cael ei roi i gadw er mwyn i ti a'r gath fach fod yn ddiogel.

Os yw dy gath fach yn crafu'r dodrefn, dwed 'na' mewn llais pendant. Pryna bostyn crafu o siop anifeiliaid anwes. Paid byth â gweiddi ar dy gath fach na'i tharo.

Gwna'n siŵr nad yw dy gath fach yn bwyta blodau neu blanhigion yn y tŷ achos gallen nhw fod yn wenwynig.

Cyn i'r gath fach fynd allan i chwilota, bydd angen coler arni gyda dy gyfeiriad neu rif ffôn arno. Gwna'n siŵr mai coler elastig yw e sydd heb fod yn rhy dynn. Paid â gadael i'r gath fach fynd allan nes iddi gael pob pigiad.

Bydd angen i'r gath fach fynd i ymweld â'r milfeddyg.

Dylet ti fynd â'r gath fach at y milfeddyg i gael archwiliad pan fydd hi tua phedair wythnos oed. Pan fydd hi'n 12 wythnos oed bydd angen pigiadau arni fel nad yw hi'n cael unrhyw glefydau. Bydd angen pigiad arall arni bob blwyddyn.

Dylai pob cath gael ei hysbaddu pan fydd hi tua phum mis oed. Felly ni fydd cathod bach di-angen yn cael eu geni.

Os yw dy gath fach yn stopio bwyta, os yw hi'n tisian o hyd, os yw ei llygaid yn dyfrhau neu os yw ei ffwr yn sych, mae'n bosib ei bod hi'n sâl. Rho hi mewn cludydd arbennig a cher â hi i weld y milfeddyg yn syth.

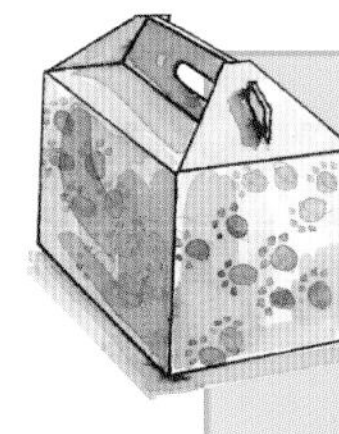

Mae'n bosib cario cath fach mewn cludydd o gardfwrdd. Mae angen cludydd cryfach ar gathod mwy.

Sut mae dy gath fach yn teimlo?

Bydd dy gath fach yn dod i adnabod dy lais a dy arogl di yn fuan iawn. Efallai y bydd hi'n rhwbio yn dy erbyn i ddweud helô. Os yw hi'n codi ei chynffon yn yr awyr mae hi'n falch o dy weld di.

Os yw dy gath yn flin neu'n ofnus bydd hi'n gwneud i'w hunan edrych yn fwy drwy godi ei chefn a'i ffwr. Paid â chyffwrdd â'r gath fach os yw hi'n gwneud hyn.

Pan fydd dy gath fach yn llyfu dy law, mae hi'n gyfeillgar. Os yw hi'n tylino dy gôl neu'n canu grwndi, mae hi'n hapus.

Pan fydd eisiau bwyd ar dy gath fach bydd hi'n mewian. Mae rhai cathod bach yn codi pawen i ofyn am fwyd. Mae cathod bach hŷn yn sefyll ar eu coesau ôl i ofyn am fwyd.

Os yw dy gath fach yn teimlo'n ddiogel, efallai bydd hi'n gorwedd ar ei chefn.

Paid â goglais ei bola. Dydy'r rhan fwyaf o gathod bach ddim yn hoffi i bobl gyffwrdd â'u bol.

Bydd dy gath fach yn tyfu'n gyflym iawn.

Pan fydd dy gath tua blwydd oed byddi di'n siŵr o sylwi sut mae hi wedi tyfu. Bydd hi'n dal i hoffi chwarae, ond bydd yn ofalus – bydd ganddi ddannedd a chrafangau miniog.

Wrth i'r gath fynd yn hŷn bydd hi'n chwarae llai ac yn cysgu mwy. Ond bydd hi'n dal i hoffi cael anwes a dy glywed yn siarad â hi.

Gall cathod fyw am 20 mlynedd neu fwy ond, fel pobl, maen nhw'n mynd yn hen ac yn marw. Os yw dy anifail anwes yn sâl iawn neu wedi cael dolur mawr gallai farw.

Efallai y byddi di'n teimlo'n drist pan fydd dy anifail anwes yn marw, ond byddi di'n gallu edrych yn ôl a chofio'r holl hwyl a gawsoch chi gyda'ch gilydd.

Geiriau i'w cofio

bocs baw
Toiled cath.

canu grwndi
Y sŵn y mae cath yn ei wneud yn ei gwddf pan mae'n hapus.

chwain
Trychfilod bach sy'n cnoi ac sy'n byw yn ffwr y gath.

mewian
Y sŵn llefain y mae cath fach iawn yn ei wneud.

milfeddyg
Meddyg i anifeiliaid.

pawennau
Traed cath.

sugno
Pan fydd cath fach yn yfed llaeth y fam, sugno yw'r enw ar hyn.

tylino
Yr hyn mae cath yn ei wneud pan fydd hi'n gwthio ei chrafangau i mewn ac allan o rywbeth.

wisgers
Y blew hir ar wyneb cath.

Nid yw cath fach newydd ei geni yn gallu gweld na chlywed.

Cath fach dair wythnos oed yn dysgu cerdded.

Cath fach bedair wythnos oed wedi tyfu ei dannedd cyntaf.

Cath fach wyth wythnos oed sy'n ddigon hen i adael ei mam.

Mynegai

Nodiadau i rieni

Bydd cath yn rhoi llawer iawn o bleser i chi a'ch teulu, ond mae'n gyfrifoldeb mawr. Os ydych chi'n penderfynu prynu cath fach i'ch plentyn, bydd angen i chi wneud yn siŵr fod yr anifail yn iach, yn hapus ac yn ddiogel. Byddwch hefyd yn gorfod hyfforddi a bwydo eich cath, a gofalu amdani os yw hi'n sâl. Os yw'ch plentyn o dan bum mlwydd oed bydd yn rhaid i chi ei oruchwylio wrth iddo ofalu am y gath. Eich cyfrifoldeb chi fydd gwneud yn siŵr nad yw eich plentyn yn gwneud niwed i'r gath fach a'i fod yn dysgu ei thrin yn gywir.

Dyma rai pwyntiau eraill i'w hystyried cyn i chi benderfynu bod yn berchen ar gath:

- Ydy eich cartref chi'n addas i gath? A oes gardd gennych chi, neu a fydd rhaid i chi gadw'r bocs baw yn y tŷ drwy'r amser? Ydych chi'n byw ar bwys ffordd fawr? Os oes gennych falconi, peidiwch â gadael i'r gath fynd arno.
- A oes gennych chi anifeiliaid anwes eraill? A fydd y gath yn eu hoffi?
- Pwy fydd yn gofalu am eich cath pan fyddwch chi'n mynd ar wyliau? Ydych chi'n gallu fforddio llety cathod?
- Mae angen pigiadau bob blwyddyn ar gathod bach a chathod hŷn. Ydych chi'n gallu eu fforddio nhw?
- Os nad oes neb gartref drwy'r dydd, mae'n well cael dwy gath gyda'i gilydd.
- Dylai pob cath gael ei hysbaddu. Gwnewch yn siŵr eich bod yn gallu fforddio talu'r milfeddyg.
- Mae cathod yn aml yn dod ag anifeiliaid marw neu fyw, fel adar a llygod, i mewn i'r tŷ.
- Gall cathod fyw am 20 mlynedd ac efallai bydd angen triniaeth gostus arnyn nhw wrth iddyn nhw fynd yn hŷn. Mae'n bosib prynu yswiriant.
- Mae'n bosib rhoi microsglodyn ar gathod er mwyn dangos pwy yw eu perchenogion. Gall hyn fod yn saffach ac yn fwy dibynadwy na choler.

Cyflwyniad i ddarllenwyr ifainc yw'r llyfr hwn yn bennaf. Os oes gennych unrhyw ymholiadau manwl ynglŷn â sut i ofalu am eich cath fach, gallwch gysylltu â'r *PDSA* (*People's Dispensary for Sick Animals*) yn Whitechapel Way, Priorslee, Telford, Sir Amwythig/ Shropshire TF2 9PQ.
Rhif ffôn: 01952 290999.